Para tia Bertha, como carinhosa recordação de Valerie.

© 1994 da edição por Aladdin Books Ltd, London
Título original: *Famous Children Chopin*
Tradução autorizada por Aladdin Books Ltd

© 1994 da edição por Callis Editora Ltda.
Todos os direitos reservados.
2ª edição, 2009
3ª reimpressão, 2023

Texto adequado às regras do novo Acordo Ortográfico da Língua Portuguesa

Coordenação editorial: Miriam Gabbai
Tradução e adaptação do original: Helena B. Gomes Klimes
Revisão: Ricardo N. Barreiros
Escaneamento e tratamento das imagens: Márcio Uva
Diagramação: Carlos Magno

CIP-BRASIL. CATALOGAÇÃO-NA-FONTE
SINDICATO NACIONAL DOS EDITORES DE LIVROS, RJ

R118c
2.ed.

Rachlin, Ann, 1933-

Chopin / Ann Rachlin e [ilustração] Susan Hellard ; [tradução e adaptacão do
original: Helena B. Gomes Klimes]. - 2.ed. - São Paulo : Callis Ed., 2009. il. color. ; .
-(Crianças famosas)

Traducao de: *Chopin*
ISBN 978-85-7416-452-6

1. Chopin, Frederic, 1810-1849 - Infância e juventude - Literatura infantojuvenil.
2. Compositores - Polônia - Biografia - Literatura infantojuvenil. I. Hellard, Susan. II.
Klimes, Helena B. Gomes (Helena Botelho Gomes) III. Título. IV. Série.

09-5711.   CDD: 927.8168
                                                              CDU: 929:78.067.26
03.11.09   10.11.09   016097

Índices para catálogo sistemático
1. Literatura infantil 028.5
2. Músicos: Literatura infantil-y juvenil 028.5

ISBN 978-85-7416-452-6

Impresso no Brasil

2023
Callis Editora Ltda.
Rua Oscar Freire, 379, 6º andar • 01426-001 • São Paulo • SP
Tel.: (11) 3068-5600 • Fax: (11) 3088-3133
www.callis.com.br • vendas@callis.com.br

Crianças Famosas

Chopin

Ann Rachlin e Susan Hellard

Tradução: Helena B. Gomes Klimes

callis

— Levante-se Frédéric e cumprimente o senhor Zywny. De hoje em diante, ele será seu novo professor de piano.

A voz de Nicolas Chopin era gentil, mas muito firme. Seu filho não hesitou em obedecê-lo. Frédéric adorava tocar piano. Desde os três anos de idade, ele tinha aulas com sua mãe. Mas, agora, ali estava o seu novo professor.

Frédéric estendeu a mão e olhou curioso para Albert Zywny. Que homem esquisito! Tinha um nariz enorme, que mais parecia uma batata-roxa e, quando sorriu, Frédéric viu que o senhor Zywny não tinha nenhum dente. Uma peruca loira e desarrumada escorregava sobre sua cabeça. Suas calças e seu casaco eram amarelos, só que de tons diferentes!

Frédéric teve de fazer força para não rir quando reparou nas enormes botas do senhor Zywny. Ele guardava seu dinheiro dentro delas, e as notas saíam pelos canos.

De repente, o senhor Zywny tirou sua capa surrada e perguntou:

— Vamos lá, Frédéric? Gostaria de ouvir você tocar.

Rapidamente Frédéric se esqueceu da figura engraçada de seu novo professor. Suas aulas eram fascinantes. Ele até se acostumou com o cheiro estranho dele. Um dia, o senhor Zywny cheirou rapé e deu um espirro tão forte que espalhou aquele pozinho por todo lado: nas suas botas, na sua gravata e, principalmente, no seu colete. O senhor Zywny também não gostava de tomar banho. Em dias muito quentes, ele se lavava com vodca!

Frédéric adorava o senhor Zywny. Ele tinha seis anos e seu professor tinha 60, mas, mesmo assim, tornaram-se grandes amigos. As aulas de Frédéric não tinham hora para terminar. O senhor Zywny estava tão contente com seu progresso que se esquecia das horas e, é claro, fazia a maioria de suas refeições com a família Chopin. Assim que terminavam de comer, Frédéric voltava correndo para seu piano de cauda.

Frédéric tinha três irmãs: Louise, Isabella e Emilia. Seu pai era francês, mas foi morar na Polônia quando

ainda era jovem. Agora, ele era orientador do Liceu do Palácio Casimir. Sua esposa, Justina, ajudava-o na escola, tomando conta dos alunos.

Era mês de férias e Frédéric passava horas numa poltrona, comendo chocolates e lendo livros.

— Papai disse que iremos passear no bosque hoje! — anunciou Louise.

Frédéric adorava ir ao bosque. Ficava apenas a 15 minutos de carruagem. Quando se deram conta, já estavam colhendo morangos e procurando cogumelos.

Uma noite, quando Frédéric estava lendo uma história para sua família, o senhor Zywny apareceu.

— Adivinhem o que eu tenho aqui! — disse ele.

Eufórico, ele mostrou uma música impressa. O senhor Chopin correu para ver.

— Frédéric, é sua dança polonesa! — disse orgulhoso. — E tem mais! Aqui diz *Polonaise em sol menor de Frédéric Chopin*!

Logo, todos em Varsóvia falavam do pequeno Chopin. Apenas sete anos e já compondo! Saiu até um artigo no *Diário de Varsóvia* que falava sobre ele:

"O compositor dessa dança polonesa é o filho de Nicolas Chopin, professor de literatura e francês no Liceu. O menino, que só tem sete anos, é um verdadeiro gênio musical. Ele não só toca músicas dificílimas ao piano como também compõe danças de extraordinária beleza."

Depois disso, todo dia Frédéric recebia convites. E o senhor Zywny se gabava de seu talentoso aluno.

Agora, todas as princesas e condessas queriam que Frédéric tocasse em suas festas. O senhor Chopin e o

professor Zywny sempre o acompanhavam, mas Frédéric não era nada tímido. Ele gostava de tocar para moças elegantes...

Pouco antes de completar oito anos, Frédéric deu seu primeiro concerto. Foi no dia 24 de fevereiro de 1818. Muito elegantes, as pessoas mais importantes de Varsóvia chegaram de carruagem ao Palácio Radziwill. Todos aplaudiram quando Frédéric Chopin, vestindo um casaco de veludo preto com um enorme colarinho de renda branca, subiu ao palco.

Os dedos de Frédéric voaram pelo teclado. O concerto de Gyrowetz era muito difícil e o público ouviu fascinado. Ao final, a plateia aplaudiu de pé! Frédéric levantou-se e agradeceu.

Quando chegou em casa, sua mãe perguntou:

— Como foi o concerto, Frédéric? Do que as pessoas mais gostaram?

— Do lindo colarinho branco que você fez para mim, mamãe.

Naquela época, o grão-duque Constantine governava a Polônia. Ele era da Rússia e era muito cruel e mal-humorado. Todos tinham medo dele. Era tão maluco que, às vezes, entrava em sua carruagem e saía pelas ruas de Varsóvia atirando com sua pistola em todos que via. O grão-duque ouviu falar de Frédéric e mandou sua carruagem buscá-lo; queria ouvi-lo tocar no palácio. Isso tornou-se um hábito e, quando estava muito nervoso, só a música de Frédéric Chopin podia acalmá-lo.

Frédéric frequentemente compunha enquanto tocava para o grão-duque. Um dia, improvisando uma nova música, Frédéric olhou para o teto.

— O que você está olhando, menino? — gritou o grão-duque. — Por acaso as notas estão escritas no teto?

Frédéric nem ligou e, simplesmente, continuou a compor.

A música que Frédéric estava compondo era uma marcha militar. O grão-duque começou a relaxar. Logo abriu um sorriso e começou a marchar pela sala, marcando o tempo da música.

— Esquerda, direita! Esquerda, direita! Gosto desta marcha, Frédéric.

O grão-duque ordenou que fosse organizada uma banda militar. Frédéric ficou orgulhoso quando viu os soldados marchando ao som de sua música.

Frédéric estava muito magro e seu médico disse que ele deveria passar as férias no campo. Um de seus colegas de escola convidou-o para passar as férias em Szafarnia, uma linda cidadezinha a noroeste de Varsóvia.

Em vez de mandar cartas para casa, Frédéric escreveu um pequeno jornal, o *Correio de Szafarnia*, no qual descreveu todas as suas aventuras no campo.

Uma página do *Correio de Szafarnia*:

"Ouvimos notícias muito importantes hoje: a perua pôs seus ovos atrás da casa."

"Ontem um gato entrou sorrateiramente na despensa e quebrou uma garrafa de suco de maçã. Por sorte, era a menor garrafa."

"Hoje o dia foi de quebra-quebra: uma das galinhas ficou manca e o pato marrom brigou com um ganso e quebrou o bico."

Um dia, na escola, durante uma aula, Frédéric mostrou a seus colegas o desenho que tinha feito do professor. Era uma caricatura e o professor estava ridículo.

— Dê-me esse pedaço de papel! Quem fez isto?

O professor estava muito bravo. Frédéric admitiu sua culpa e esperou pelo castigo. Mais tarde, recebeu o desenho de volta. Atrás dele estava escrito: "bem desenhado". Frédéric Chopin podia desenhar quase tão bem quanto tocar piano.

Frédéric Chopin tornou-se um grande pianista e compôs algumas das mais importantes músicas para piano, incluindo 27 estudos, 25 prelúdios, 19 noturnos, 52 mazurcas, quatro improvisos e dois concertos para piano. Algumas de suas músicas têm apelidos:

A "Valsa do minuto" descreveria um cachorro correndo atrás de seu próprio rabo.

O prelúdio "A gota d'água" soa como o barulho das gotas de chuva caindo sobre um telhado.

A "Valsa do gato" lembra o dia em que o gato de Chopin pulou no seu piano e correu sobre o teclado.

Ann Rachlin é uma educadora de música internacionalmente conhecida. Também é escritora, contadora de histórias, letrista, palestrante e fundadora da instituição de caridade The Beethoven Fund, para crianças surdas. Ann atuou em inúmeros festivais internacionais de música e contribuiu com grandes orquestras sinfônicas no Reino Unido, nos EUA e na Austrália.

Susan Hellard é uma hábil ilustradora com uma longa lista de livros para crianças. Mora em Londres e adora nadar. Possui um estilo de ilustração bem diversificado, abrangendo desde princesas até livros de receitas e projetos de cerâmica.